Elliot fait un gâteau

Pour Trevor et Florence qui, tous les deux adorent faire la cuisine!

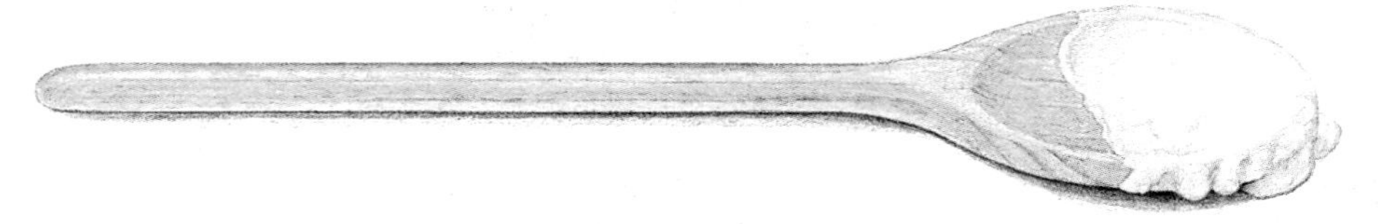

Données de catalogage avant publication (Canada)

Beck, Andrea, 1956-
[Elliot bakes a cake. Français]
Elliot fait un gâteau

Traduction de : Elliot bakes a cake.

ISBN 0-439-00476-4

I. Duchesne, Christiane, 1949- . II. Titre. III. Titre : Elliot bakes a cake. Français.

PS8553.E2948E4414 1999 jC813'.54 C99-930543-3
PZ23.B42E1 1999

Édition publiée par Les éditions Scholastic,
175, Hillmount Road, Markham (Ontario) Canada, L6C 1Z7,
avec la permission de Kids Can Press Ltd.

Les illustrations de ce livre ont été réalisées aux crayons de couleur.

Conception graphique de Karen Powers

5 4 3 2 1 Imprimé à Hong-Kong 9 / 9 0 1 2 3 4 / 0

Elliot fait un gâteau

Texte et illustrations de
ANDREA BECK

Texte français de Christiane Duchesne

Les éditions Scholastic

Elliot saute de joie. C'est une journée pas du tout comme les autres.

Il tourne le coin du mur à toute vitesse pour rejoindre son amie Bab.

— C'est l'anniversaire de Lionel, crie Elliot. Si on lui préparait un gâteau?

— Un gâteau! s'écrie Bab. C'est une idée de génie!

Pendant que Bab se
prépare, Elliot court à l'étage.
Mouflette et Nours vont
sûrement vouloir les aider.

— C'est l'anniversaire de Lionel, leur crie-t-il.
Nous allons faire un gâteau!

— Oh, oui! dit Mouflette. Il faut un gâteau
pour Lionel.

— Oh là là! s'écrie Nours. Vite à nos fourneaux!

Elliot, Mouflette et Nours descendent à la cuisine au pas de course, Bab sur leurs talons.

Ils confient tous les quatre leur idée à Castorus.

— Génial! s'exclame ce dernier.

Il fouille dans son armoire et en sort une fiche.

— Regardez! dit-il. Une recette de gâteau.

Ils trouvent très vite tout ce qu'il leur faut. Puis, Castorus commence à lire la recette.

— D'abord, il faut séparer les œufs, dit-il.

— Séparer les œufs? demande Elliot. Qu'est-ce que ça veut dire?

— C'est facile, dit Bab en riant.

Elle prend deux tasses et dépose un œuf dans chacune.

Elliot s'étonne : est-ce qu'il ne faudrait pas briser les coquilles?

— Ensuite, il faut défaire le beurre en crème, lit Castorus.

— Défaire le beurre en crème? demande Elliot. Comment fait-on?

— C'est simple, dit Nours.

Il met un gros morceau de beurre dans un bol et verse dessus un peu de crème. Mais il a beau brasser, ça ne se mélange pas.

Castorus fronce les sourcils.

— Essaie d'ajouter le sucre, suggère-t-il.

C'est au tour de Mouflette. Elle verse le sucre et brasse en tournant très fort.

— Regardez! s'écrie-t-elle. Ça marche!

Elliot sourit. Le mélange commence à ressembler à quelque chose.

— Maintenant, il faut battre les œufs, dit Castorus.

— Battre les œufs? demande Elliot. Ça veut dire quoi?

Personne ne le sait. Alors, Elliot casse les œufs et les jette dans le grand bol. Il brasse, brasse et brasse.

— On dirait de la pâte à gâteau, déclare Bab.

Elliot n'en est pas certain. C'est plein de grumeaux.

Est-ce que la pâte à gâteau ne doit pas être bien lisse?

— Il faut maintenant ajouter le lait et la farine, annonce Castorus.

Voilà pour le lait, voilà pour la farine.

Castorus ajoute une cuillerée de poudre à pâte.

— Pour avoir un beau et gros gâteau, dit-il.

Ils brassent chacun leur tour jusqu'à ce que les grumeaux aient disparu.

— On dirait de la vraie pâte, maintenant, dit Nours.

— Tu as raison, dit Castorus.

Elliot et Bab versent la pâte dans un moule et le mettent au four, très délicatement.

Ils regardent tous le gâteau qui cuit.

— Comment on sait quand il est prêt? demande Elliot.

Castorus vérifie sa recette.

— Lorsqu'on touche le centre du gâteau, et qu'il se relève, dit-il.

— Il se relève? demande Elliot, un peu surpris.

Impatient, il regarde par la fenêtre du four, surveillant le moindre mouvement du gâteau.

Au bout d'un moment, Castorus ouvre le four et Elliot touche au gâteau, mais il ne se relève pas, il tremblote.

Quand, encore une fois, ils vérifient, le gâteau a l'air parfait. Mais lorsque'Elliot touche le centre, il ne se relève pas. Il ne frémit même pas.

Ils remettent le gâteau au four et commencent à préparer le glaçage.

Le glaçage terminé, ils examinent le gâteau pour la troisième fois. Il ne se relève toujours pas, il ne saute pas, il reste là.

— Ce gâteau a décidé de ne pas bouger, déclare Elliot. Et il me semble très foncé.

Bab regarde par-dessus l'épaule d'Elliot.

— Oh non! gémit-elle.

Le cœur d'Elliot se serre affreusement. Il regarde Bab.

Le gâteau de Lionel est brûlé!

Un grand silence se fait dans la cuisine.

Tout le monde regarde le gâteau.

Il n'est pas seulement un petit peu brûlé. Il est très brûlé.

Elliot essaie de retenir ses larmes.

Lionel n'aura pas de gâteau d'anniversaire.

Après quelques tristes minutes, Elliot se reprend.

— On peut arranger ça! dit-il.

Morceau par morceau, il enlève la croûte brûlée du gâteau.

— Il ne va pas devenir minuscule? demande Bab.

— Oui, mais au moins, il aura bon goût.

Elliot coupe le gâteau en trois. Entre chacun des étages, Mouflette étend de la confiture. Sur le dessus, Nours étale le glaçage.

— Il est magnifique! dit Elliot. Mais un gâteau d'anniversaire doit être très, très différent des autres gâteaux.

Ils se remettent au travail pour la décoration.

Quand ils ont terminé, ils ont devant eux le plus beau gâteau qu'ils ont jamais vu.

Ils sont enfin prêts à faire la surprise à Lionel.

Portant le gâteau avec mille précautions, les cinq amis montent l'escalier une marche après l'autre.

Ils sont tellement excités qu'ils ont du mal à s'empêcher de rire.

— Chuuut! chuchote Elliot. Il va nous entendre!

Mais Lionel, absorbé par sa lecture, ne se doute de rien.

— BON ANNIVERSAIRE, LIONEL!

— Nom d'un petit lion! murmure Lionel, tout ému. Quel magnifique gâteau!

Rassemblés autour du gâteau, les amis regardent Lionel faire un vœu et souffler les bougies, puis ils servent le gâteau.

Il y en a juste assez pour que chacun en ait un petit morceau.

— Mmmm, fait Lionel. C'est le meilleur gâteau de toute ma vie!

Tout le monde est d'accord.

C'est vraiment le meilleur gâteau de toute leur vie.

Demande toujours l'aide d'un adulte pour utiliser le four.